Loreto de Migu

El hombre
que veía
DEMASIADO

edelsa
GRUPO DIDASCALIA, S.A.

Colección **"Para que leas"**:
Dirigida por Lourdes Miquel y Neus Sans

Primera edición: 1990
Segunda edición: 1993
Tercera edición: 1995
Primera reimpresión: 1996
Segunda reimpresión: 1997
Tercera reimpresión: 1998

Diseño de colección y cubierta: *Angel Viola*
Ilustraciones: *Mariel Soria*

ISBN: 84-7711-018-2
Depósito legal: M-2540-1998
Imprime: ROGAR, S. A.
Encuaderna: Perellón, S. A.

—Buenos días. ¿El detective Rey, por favor? —pregunta un chico de ojos azules al portero.

—Segundo izquierda.

—Gracias.

El chico coge el ascensor. Sale en el segundo. A la izquierda hay una puerta de madera. Llama al timbre. Una chica morena, de pelo rizado y un poco gordita abre la puerta. Es Susi, la secretaria de Pepe[1] Rey.

—Buenos días. ¿Qué desea?

—Quería hablar con el señor Rey. Me está esperando.

—Pase, pase. Siéntese aquí.

La secretaria entra en un despacho y cierra la puerta. Unos minutos después sale. Detrás de ella, el detective: un hombre de unos cuarenta años, bastante calvo y gordo, con un gran bigote.

—Buenos días. Usted es el señor Roca, ¿verdad?

—Sí, José Roca. Mucho gusto.

—Encantado.

Pasan al despacho. Se sientan. Pepe Rey coge un paquete de tabaco.

—¿Un cigarrillo?[2]

—Sí, gracias —dice José Roca, cogiendo uno.

—Bueno, ¿qué le pasa, señor Roca?

—La verdad es que estoy metido en un lío[3] que no entiendo. Una amiga mía lo conoce, dice que usted es muy buen detective y por eso he venido a verlo.

—¡Ah! ¿Sí? ¿Y quién es?

—Laura Mínguez.

—¡Hombre, Laura! Sí, sí. Nos conocemos muy bien. Oye, por favor, llámame de tú.

—Vale. Bueno, mira, yo estoy en Madrid pasando unos días para hacer un reportaje sobre las fiestas de San Isidro[4].

—¿Eres periodista?

—Bueno, más o menos. Hago fotos y artículos de viajes para algunas revistas, pero también soy relaciones públicas.

—¿Y no eres de aquí?

—No, no. Yo soy catalán, de Barcelona[5], pero viajo mucho por cuestiones de trabajo. Bueno, pues ayer recibí esta nota. Toma.

—«Usted sabe demasiadas cosas. Ojo, o le mataremos.» ¡Vaya! ¿Y dónde te la enviaron?

—A casa de Laura.

—¿Y cómo saben que estás ahí?

—Ni idea.

* * *

Entra Susi.

—Jefe, llaman al señor Roca por teléfono.

—Toma. Cógelo aquí —le dice Pepe a José Roca.

—¿Diga?

—José —dice Laura al otro lado del teléfono—, alguien ha entrado en casa. Está todo desordenado: papeles y ropa por el suelo, todos los armarios y los cajones abiertos... Estoy muy nerviosa.

—¿Se han llevado algo?

—Sí, sí, todas tus cámaras fotográficas y las fotos del reportaje.

—Bueno, Laura, tranquila. Voy enseguida. Hasta luego.

* * *

José cuelga el teléfono y mira a Pepe Rey. Está preocupado.

—Laura. Alguien ha entrado en su casa y se ha llevado mis cámaras y las fotos.

—No lo entiendo —dice Pepe Rey—. ¿Qué fotos hiciste?

—Pues fotos de la Plaza Mayor, del Madrid de los Austrias, de la verbena de las Vistillas, de la Casa de Campo, de El Retiro[6]... Fotos de gente, de chulos y chulapas[7], de niños, de barquilleros[8]... No sé... Fotos de cosas típicas... Fotos normales, muy normales. En serio.

—¿Has hecho más fotos?

—Sí. Ayer. Están en «Fotorapid», un laboratorio fotográfico.

—¿Y cuándo tienes que pasar a recogerlas?

—Esta tarde.

—Bueno, pues vuelve aquí a las cinco o cinco y media con las fotos.

Pepe Rey se levanta de su sillón y se acerca a José Roca. Le da la mano y le dice:

—Tranquilo, José. Ahora te vas a tomar algo, recoges las fotos, das un paseo y, luego, vuelves. Creo que necesitas relajarte...

—Sí, creo que sí... Todo esto es tan..., tan raro... Parece una película.

—Sí —dice Pepe Rey riéndose—. Una película de la tele...

—Siempre son muy malas. Malas y aburridas.

—Pues me parece que esto no va a ser aburrido... Bueno, José, hasta luego.

*   *   *

José Roca se pone la americana y sale del despacho del detective. Allí está Susi escribiendo a máquina:

—¿Qué le pasa? ¿Se encuentra mal?

—Nada, nada. Gracias —le dice José—. Estoy un poco preocupado y no entiendo nada.

—Tranquilo. El señor Rey es un gran detective...

—Lo sé, lo sé.

—¿Llamo un taxi?

—No, gracias. Prefiero andar un poco. Andar y tomarme una copa de coñac.

—Bueno, pero puede quedarse un rato más aquí... —dice Susi para ayudarlo y porque lo encuentra muy guapo.

—No, en serio. Voy a dar un paseo. A las cinco vuelvo. Gracias y hasta luego.

—Adiós. Hasta la tarde.

* * *

Cuando José Roca se va, Pepe Rey sale del despacho para pedirle algo a Susi. Está mirando por la ventana.

—¿Qué te pasa, Susi?

—¡Qué ojos tan bonitos! ¡Qué guapo!

—Susi —dice Pepe bastante serio y un poco celoso porque él no es guapo ni tiene los ojos azules y, además, está cada día más gordo y más calvo—, yo no sé si el señor Roca es guapo o feo. Me da igual. Es un cliente, un cliente con problemas. Y, además, es muy amigo de una amiga mía. Está con ella en Madrid, ¿vale? ¿Puedes venir un momento a mi despacho?

«¡Qué mala suerte! —piensa Susi—. Siempre que me gusta un hombre o está casado o tiene una amiga...» Va a su mesa, coge su libreta y un bolígrafo y, de muy mal humor, entra en el despacho del jefe.

* * *

José Roca entra en el primer bar que encuentra, enfrente del despacho del detective. Toma un coñac. Por las mañanas nunca toma coñac, pero hoy está nervioso, muy nervioso. Luego va a casa de Laura, que está en Recoletos, al lado del Café Gijón[9], muy cerca del despacho de Pepe Rey. Laura no está. La casa está todavía muy desordenada. José empieza a arreglar algunas cosas: pone los libros en las estanterías, la ropa en los cajones y en los armarios, ordena los discos... Después se sienta en el sillón. Se levanta. Va a la cocina a beber agua. Pone la radio. Se sienta otra vez. No sabe qué hacer. «Ni Laura ni yo podemos ir a buscar las fotos. Nos pueden seguir. Tiene que ir otra persona. ¿Pero quién?». Media hora después baja a hablar con el conserje[10], que es muy simpático. Le da el resguardo de las fotos y dinero. El conserje las irá a buscar después de comer. A las dos llega Laura:

—¡Hola, José! ¿Qué tal con Pepe?

—Muy bien. Es muy majo. Se lo he explicado todo, me ha hecho bastantes preguntas y nos hemos reído un poco, porque dice que esto parece una película...

—Y tiene razón. Vienes aquí a hacer fotos y te metes en un lío sin saber por qué... ¿Has tomado algo?

—Coñac.

—¿Coñac por la mañana? —dice Laura un poco sorprendida.

—Sí, sí, así me tranquilizo... Bueno, ¿y tú qué tal estás?

—Esta mañana, fatal. Cuando he entrado aquí y he visto la casa... Pero ahora estoy mejor, más tranquila. Oye, ¿Pepe entiende lo que significa esto?

—Me parece que no tiene ni idea todavía...

—¿Y qué vas a hacer?

—Bueno, esta tarde tengo que volver con las fotos.

—¿Qué fotos?

—Las fotos de ayer. Están en «Fotorapid». Le he dado al conserje el resguardo para recogerlas. Las traerá después de comer y, luego, iré al despacho de Pepe.

—¡Ah!, pues te acompaño.

—Vale.

* * *

Bajan a comer al «Gijón», y después, vuelven a casa. Ponen la tele para ver el Telediario[11]. No hay ninguna noticia relacionada con ellos. Al final del Telediario hay noticias deportivas, de fútbol[12] especialmente. A José Roca le gusta muchísimo el fútbol, pero a Laura no le gusta nada y se duerme en el sillón. A las cinco menos diez llaman a la puerta. Es el conserje:

—Tenga, señor Roca. Las fotos y el cambio. Usted me ha dado cinco mil pesetas y han costado cuatro mil setecientas.

—Gracias, Manolo. Quédese con el cambio. Tómese una cervecita, hombre.

—No, de verdad. Tome.

—Que no, Manolo. Muchas gracias.

—Bueno, pues gracias.

* * *

Laura y José miran las fotos y no ven nada especial. A las cinco y media van al despacho de Pepe Rey.

—Míralas. Aquí están. Nosotros no hemos visto nada raro —le dice Laura al detective.

—¿Puedo mirarlas yo también? —pregunta Susi, que siempre ayuda a Pepe en todo.

9

—Claro, Susi.

Las miran tranquila y lentamente. Pepe separa algunas. Cuando termina, Pepe dice:

—Eres un fotógrafo muy bueno, muy bueno. Son unas fotos estupendas, pero yo no veo nada...

—¡Jefe! —dice Susi— ¿Ve ésta? Ahí detrás, al fondo, hoy dos hombres. ¿Los ve?

—A ver... Sí. Hay dos hombres. ¿Y qué?

—¿Ve que uno le está dando algo al otro?

—Sí.

—Bueno, pues a mí me parece que conozco a ese hombre.

Pepe, José y Laura miran la foto.

—A ver...

—Es que no se ve muy bien. Están bastante lejos y casi no se les ve la cara...

—Si quieres —dice José—, la ampliamos.

—Vale —dice el detective.

—Mañana te la traigo.

—¡No! ¡Ni hablar! Esta vez iremos nosotros. Es mejor. A vosotros os pueden seguir...

—¿Tú crees que esto puede ser una pista? —pregunta Laura.

—No lo sé, Laura. No lo sé..., pero tenemos que empezar por alguna parte —dice Pepe.

* * *

Al día siguiente, Pepe Rey ya tiene la ampliación. A él también le parece que ha visto alguna vez a ese hombre, pero no está seguro.

—Susi, ¿conoces a este hombre? —le pregunta Pepe señalando a uno con el dedo.

—*Eres un fotógrafo muy bueno, muy bueno.*

—A ése no, jefe, pero conozco al de la derecha, al que está cogiendo el paquete.

—¿Quién es?

—«El Torillo», el atracador[13].

—No puede ser. Está en la cárcel.

—¿En la cárcel? ¿No lee los periódicos, jefe? Se escapó.

* * *

En ese momento llaman a la puerta. Son Laura y José. Entran en el despacho. Pepe Rey está mirando una foto, muy serio.

—¿Qué pasa, Pepe? —pregunta Laura un poco preocupada porque conoce mucho a Pepe y nunca lo ha visto tan serio.

—El hombre de la foto es «El Torillo».

—¿Cómo dices? —pregunta Laura. Lo ha entendido, pero no lo cree.

—¡No me digas! —dice José asustado.

Pepe, Laura y Susi miran a José Roca. «El Torillo» lo busca. Es peligrosísimo.

—¿Y qué tengo que hacer? —dice José un poco más tranquilo.

—Desaparecer —le dice el detective—. Te vas con Laura a pasar unos días fuera de Madrid.

—Jefe, yo... A mí... —dice Susi muy tímida—. Yo creo que no es una buena idea.

—¿Por qué? —pregunta Pepe Rey un poco enfadado.

—Los pueden seguir y, lejos de Madrid, es peor... No conocen a nadie... No está usted para ayudarles...

—Sí, es verdad —Pepe Rey no sabe qué hay que hacer.

* * *

Todos están nerviosos. Fuman en silencio. Preocupados. Unos minutos después José Roca empieza a hablar:

—¡Qué mala suerte! Estoy haciendo unas fotos de Madrid y de los madrileños y fotografío a un atracador... ¡A un peligroso atracador...!

—Tranquilo, José, tranquilo. Esto lo arreglamos... Ahora os vais a casa y os quedáis ahí. Susi, llama a un taxi. ¡Ah! y si hay algún problema, me llamáis. Por la noche, por la tarde... No importa la hora. Me llamáis. Laura, ¿tienes el teléfono de casa?

—¿Es el de siempre?

—No, no. Ya no vivo con Elena —dice Pepe un poco triste—. Estamos separados. Ahora vivo en el centro, en la calle de la Sal[14]. El teléfono es el dos, sesenta, veintitrés, once.

—Dos, sesenta, veintitrés, once —repite Laura escribiéndolo en la agenda—. De acuerdo. Si tenemos algún problema, te llamamos. Gracias, Pepe.

—De nada. De nada.

—Jefe, el taxi ya está abajo.

—Bueno, chicos —dice Pepe—, voy a pensar un poco y mañana os digo algo.

* * *

José y Laura se meten en el taxi. Hay mucha gente en la calle. Siempre hay mucha gente en las

—*Aquí al lado, en el "Gijón".*

calles de Madrid. Y muchos coches. José y Laura miran hacia atrás, a la derecha, a la izquierda. Creen que nadie los sigue. Entran en el portal. Está el conserje:

—¿Ha venido alguien, Manolo? —pregunta Laura.

—No, señorita, nadie. Y tampoco hay correspondencia en el buzón.

—Gracias, Manolo. ¡Hasta luego!

Suben en ascensor. Entran en casa. Todavía está desordenada. Entran en la sala. José pone un disco de Serrat[15] y se sienta.

—¿Quiéres cenar algo?

—No, gracias. No tengo apetito. Pero tú cena, Laura.

—Yo tampoco tengo nada de hambre. Oye, José, ¿por qué es tan importante para «El Torillo» esa foto?

—¡Yo qué sé, Laura! ¡Yo qué sé!

* * *

A las diez de la mañana llaman a la puerta. José y Laura se han levantado a las nueve, se han duchado y han desayunado.

—¿Quién es? —pregunta Laura sin abrir.

—Soy yo. Pepe. Pepe Rey.

Laura abre y pasan a la sala.

—¿Has desayunado?

—Sí. Aquí al lado, en el «Gijón».

—¿Y no quieres otro café?

—Bueno, gracias.

Laura se va a la cocina. José y Pepe se quedan en la sala.

—¿Qué tal estás?

—Normal —contesta José—. ¿Y tú?

—Bien, bien... Mira, he estado pensando. ¿Por qué es tan importante esa foto para «El Torillo»?

—Laura también me lo ha preguntado. No lo sé...

—Pues yo creo que sí lo sé. En la foto, «El Torillo» está cogiendo un paquete. Un hombre le está dando un paquete... ¿Qué hay dentro?

—¡Droga! —dice José más asustado que ayer.

—Exacto. Droga.

—Ahora lo entiendo —dice Laura. Pone la cafetera y unas tazas en la mesa y repite:

—Ahora lo entiendo. «El Torillo» es importante, pero el otro hombre es más importante todavía, es el propietario de la droga.

—Exacto —dice Pepe—. «El Torillo» la vende, pero el importante es el otro.

—Tráfico de heroína. He hecho una foto de dos traficantes de heroína...

*   *   *

José Roca es un hombre valiente. Ha viajado mucho, le han pasado muchas cosas y nunca ha tenido miedo. Nunca hasta hoy. No se encuentra bien. Le duele todo.

—Sí, José. Has hecho una foto de dos traficantes de heroína. Pero de uno conocido, que ha estado en la cárcel, y de otro desconocido que, ahora, gracias a tu foto puede ser descubierto y, también, ir a la cárcel. Ese es el problema. Ese tipo no va a dejarte en paz[16].

—A ver si lo entiendo —dice Laura—. Un día, José está haciendo fotos en El Retiro Hay mucha gente. Dos traficantes de droga se encuentran allí porque nadie los puede ver entre tanta gente. Uno de ellos, o los dos, ven que han salido en una foto. Siguen a José hasta aquí. Le dejan la nota. Un día después entran en casa y roban las cámaras y las fotos...

—Exacto —dice Pepe Rey—. Pero...

—Pero —sigue José Roca— miran las fotos y ven que las fotos de El Retiro no están.

—Exacto. Las fotos de El Retiro no están porque todavía las tienes tú.

—Bueno, ¿y qué hago yo ahora? —pregunta, preocupado, José.

—Mira, para saber quién es el otro hombre, te necesito. Tienes que salir a la calle y seguir con el reportaje. Ellos te seguirán y nosotros los seguiremos a ellos...

—Pero eso es muy peligroso —dice Laura.

—Sí, muy peligroso. Hay que avisar a la policía —dijo Pepe.

—¿A la policía?

—Sí, claro, es lo mejor.

*　*　*

El lunes Pepe Rey va a ver al inspector de policía Mariano Romerales. Romerales es un hombre vulgar, bastante calvo, no muy alto, con gafas y con un bigote muy fino. Siempre está de mal humor. Siempre. Y siempre se ha dedicado a la política: funcionario de un ministerio primero, y luego, cansado de escribir y escribir papeles y no poder ser director general [17], policía. Mucha gente dice que es tan antipático porque no ha tenido suerte y porque tiene una mujer, Concha [18], gorda, gordísima, y más alta que él, que no le deja vivir.

Pepe Rey y Romerales no son muy amigos, pero tienen que trabajar juntos muchas veces.

—Buenos días, Romerales. ¿Qué tal?

—Buenas. ¿Qué quiere esta vez?

—¿Puedo sentarme?

—Sí. Bueno, ¿qué pasa?

—Usted está buscando a «El Torillo», ¿verdad?

—¿Cómo lo sabe?

—Eso da igual ahora. Yo puedo ayudarle. Le ayudo, pero usted tiene que ayudarme a mí.

—Ni hablar.

—Bueno, pues me voy.

Pepe Rey se levanta de la silla, coge su americana y el periódico.

—Adiós, Romerales. Hasta pronto.

—Pepe, espere un momento. Siéntese.

* * *

Pepe sonríe y se sienta de nuevo.

—¿Qué sabe de «El Torillo»?

—¿Promete ayudarme?

—Sí —dice el inspector.

—¿En serio?

—En serio.

—Tengo un cliente que está haciendo un reportaje sobre Madrid en las fiestas de San Isidro. Un día recibe un anónimo. Otro día le roban las cámaras y las fotos. Viene a verme, y al final descubrimos el problema: en una foto sale «El Torillo» y otro hombre con un paquete.

—¿Un paquete?

—Pero, Romerales, por favor... ¿Un paquete de qué? ¡De droga! Esos hombres saben que hay una foto de ellos pasándose un paquete de droga y quieren matar a mi cliente.

—¿Y quién es el otro hombre?

—No lo sé. Usted puede saberlo. Mire, aquí está la foto.

—A ver... No, no lo conozco. Vamos a mirar en los archivos.

Romerales coge un teléfono y llama a su secretaria:

—Señorita Vicky, pase un momento, por favor.

«¡Qué amable, Romerales! No lo entiendo», piensa Pepe. Pero lo entiende enseguida. Porque Vicky es una chica joven, alta, rubia y muy guapa. Romerales, sonriente, le dice:

—Vicky, por favor, lleve esta foto a Archivos para saber quién es este hombre.

*   *   *

Cuando Vicky se va, Romerales pone cara de mal humor otra vez.

—¿Y qué piensa hacer, Pepe? Porque ha pensado algo, ¿no?

—Claro. He pensado que mi cliente tiene que seguir con el reportaje. Ellos lo seguirán y nosotros, la policía, usted y yo, los seguiremos a ellos.

—¡Cielo santo! —Romerales siempre dice eso—. ¡Encontrar a ese atracador! ¡Por fin!

—¿Entonces me ayudará?

—Claro, claro. Estupenda, es una idea estupenda.

Pepe está sorprendido: «Romerales está contento... ¡Vaya!»

* * *

El martes por la mañana Pepe Rey está en su despacho leyendo *El País* [19]. Entra Susi.

—Jefe, está aquí el inspector Romerales.

—¿Se puede? —dice Romerales, abriendo la puerta del despacho de Pepe.

—Adelante, Romerales.

—Ya sé quién es ese hombre. Es un italiano. Marcello Canelloni. Toda la policía de Europa lo está buscando.

—¡Pobre José Roca!

—Sí, pero nosotros lo vamos a encontrar.

* * *

A las cinco de la tarde empieza la «Operación Canelloni». José Roca sale de casa de Laura con sus nuevas cámaras. Coge un taxi.

—A la plaza de las Ventas [20], por favor.

Hoy es la última corrida de toros de las fiestas de San Isidro [21]. A José le interesa hacer fotos allí. Es muy típico y hay siempre mucha gente. Mucha gente y, seguramente, va a estar «El Torillo» y Marcello. El taxi lo deja en la puerta principal. José baja y entra en la plaza. Detrás del taxi ha llegado un Peugeot gris. Son Pepe Rey y Susi. Luego llega un Horizon rojo. Es Laura. Romerales y varios policías

Luego llega un "Horizón" rojo.

han llegado antes. Todos ellos han comprado entradas cerca de la de José Roca: tendido 8, fila 17, sombra [22].

Empieza la corrida. José está haciendo fotos. En el quinto de la tarde [23] José ve a Marcello. Está de pie dos filas más abajo, en la 15. Marcello lo mira. José se levanta y se va a los servicios. Tiene que hacer cola. Pepe Rey, Romerales y cuatro policías vestidos con traje normal están en la cola también. Laura y Susi se han quedado en sus asientos. Están preocupadas. Ven que Marcello se levanta y va hacia los lavabos.

José Roca está muy nervioso. Sabe que detrás está Pepe Rey y ese policía tan serio. Pero ¿y si todo sale mal? Prefiere no pensarlo. No le gusta nada ser el actor de una película de policías. Entra en un lavabo y dos hombres entran con él. José los mira. «¡Son ellos!», piensa. Marcello saca una pistola y le dice:

—Las fotos. Me das las fotos y nos olvidamos de ti.

—¿Qué fotos? —pregunta José como despistado.

—Las fotos de éste y mías. No se las has dado a la policía, ¿verdad? —pregunta «El Torillo», acercando la pistola a la frente de José.

—No, claro que no.

En ese momento se oye un ruido y se abre la puerta. Es Pepe Rey y dos policías:

—¡Policía! ¡Están detenidos!

Cogen a los traficantes y se los llevan. José está blanco como el papel.

—Lo has hecho muy bien, José. Eres muy valiente.

—¿Y Romerales? —pregunta José, sorprendido porque no lo ha visto entrar.

—Es verdad. ¿Dónde está Romerales? ¡Romerales! —grita Pepe—. ¿Está usted ahí?

—Ahora salgo, ahora salgo —dice Romerales en voz muy baja desde dentro del lavabo de al lado.

*   *   *

Laura ha invitado a cenar a Pepe Rey y a Susi. José se va mañana. Es una cena de despedida.

—Bueno, tengo un reportaje estupendo sobre el tráfico de drogas. Voy a publicarlo en *Interviú* [24] y me van a pagar bastante dinero.

—¿Y el de San Isidro vas a publicarlo? —pregunta Susi.

—No, ése no. Volverá el año que viene para hacer otro —dice Laura con ironía.

—¿El año que viene? El año que viene para San Isidro estaré en Toumbouktú o más lejos.

Todos se ríen y toman una copa de cava catalán [25].

—¡Por San Isidro! —dice Laura.

—¡Por Pepe y Susi! —dice José.

—¡Por el hombre que veía demasiado! —dice Susi, que todavía piensa que José Roca tiene unos maravillosos ojos azules.

Notas

(1) «Pepe» es la forma familiar de José.

(2) En España cuando alguien va a fumar es costumbre que ofrezca tabaco a sus interlocutores.

(3) «Estar metido en un lío» es una expresión que equivale a tener problemas difíciles de resolver.

(4) Todas las ciudades y pueblos españoles tienen un santo patrón que tiene un carácter protector. El día del santoral que le corresponde suele celebrarse la «fiesta mayor» del lugar. El patrono de Madrid es San Isidro, y la fecha el 15 de mayo. Las fiestas de San Isidro duran alrededor de una semana y consisten en todo tipo de actividades culturales y de diversión: conciertos, bailes populares, representaciones teatrales, competiciones deportivas, etc.

(5) Barcelona es la capital de Cataluña, comunidad autónoma en donde se habla catalán. Barcelona, ciudad portuaria e industrial, es, después de Madrid, que es la capital de España, la ciudad más importante de la península.

(6) La Plaza Mayor, construida por Felipe III hacia 1617, ha sido y es el escenario más importante de los acontecimientos públicos de la ciudad. Es una plaza porticada cuyos dos edificios más representativos son la Casa de la Panadería y la de la Carnicería. En el centro hay una estatua de Felipe III.
El Madrid de los Austrias es una importante zona madrileña, construida durante el reinado de la dinastía de los llamados «Austrias»: Carlos I, Felipe II, etc. (siglos XVII y XVIII), llena de palacios y monumentos, entre los que se encuentra la citada Plaza Mayor, la plaza de la Villa, la ermita de San Antonio de la Florida, etc.
«Las Vistillas» es una pequeña explanada desde donde se puede contemplar el río Manzanares y campos cercanos a

Madrid, que está cerca del Palacio Real y en donde se celebran bailes populares, llamados verbenas.

La Casa de Campo es el más grande de los parques municipales. En su interior cuenta con varias instalaciones: el Zoológico, el Parque de Atracciones, etc. Hay, además, un lago donde se puede pasear en barca.

El parque de El Retiro está situado en el centro de Madrid. En él hay numerosos museos, como el Palacio de Cristal y el Palacio Velázquez, y espacios dedicados al deporte y a la música.

(7) «Chulos y chulapas» se refieren aquí a las personas que, durante las fiestas, van vestidas con los trajes típicos madrileños. Originariamente, «chulapo/a» se refiere a los chicos y chicas guapas que tienen conciencia de serlo y que usan un lenguaje descarado y con mucha gracia.

(8) El barquillero es un hombre, vestido de chulapo, que vende barquillos, un dulce crujiente, por la calle. Los barquillos están dentro de una caja cilíndrica de metal en cuya tapa hay una ruleta para sacar a la suerte el número de barquillos que tocan por el dinero pagado.

(9) El Café Gijón está en el paseo de Recoletos. Es un lugar de encuentro de intelectuales. Son famosas sus tertulias, iniciadas a principio de este siglo. A ellas asistieron importantes intelectuales de la época.

(10) En casi todas las viviendas de las ciudades españolas existe el portero o portera, que vive en el mismo edificio y que es el encargado de vigilar, limpiar y resolver cuestiones prácticas de los vecinos. Actualmente en los nuevos edificios de apartamentos existe la figura del conserje, generalmente un hombre que tiene las mismas funciones que los porteros, pero sin vivir en el edificio.

(11) «Telediario» es el nombre que reciben los programas informativos de televisión.

(12) El fútbol es el deporte preferido de los españoles, hombres

sobre todo. Es difícil encontrar un español que no sea partidario de un equipo en concreto al que defiende incondicionalmente.

(13) Dentro del mundo del hampa, y también entre los jóvenes de clases populares, es frecuente ponerse motes o alias que se usan en sustitución del verdadero nombre.

(14) La calle de la Sal está situada en los aledaños de la Plaza Mayor de Madrid.

(15) Joan Manuel Serrat es un famoso cantautor que canta en castellano y catalán y que, aparte de sus propias canciones, ha puesto música a poemas de conocidos poetas españoles, como Antonio Machado y Miguel Hernández, e hispanoamericanos, como Mario Benedetti.

(16) «No dejar en paz» significa, en este contexto, perseguir hasta conseguir lo que se quiere.

(17) El cargo de director general es uno de los más importantes, después del de ministro, máximo responsable de cada ministerio y miembro del gobierno. Normalmente, los directores generales, por tener responsabilidades políticas, no son funcionarios, sino personas nombradas por el gobierno.

(18) «Concha» es el nombre familiar de Concepción.

(19) *El País*, de carácter independiente y tendencia progresista, es el periódico de mayor tirada de España. Tiene una edición internacional que aparece semanalmente.

(20) La plaza de toros Monumental, también llamada «Plaza de las Ventas», es la plaza de toros de Madrid, y se realizó en la década de los años veinte.

(21) Las corridas de toros de las fiestas de San Isidro son muy famosas en España, y para un torero es muy importante poder llegar a torear en esta plaza. Muchos madrileños

son aficionados a los toros, y en las corridas de las fiestas de San Isidro la plaza siempre está llena de público.

(22) Los asientos de las plazas de toros están divididos en «sol» y «sombra», y, dentro de estas zonas, las galerías descubiertas se llaman «tendidos».

(23) En cada corrida se lidian seis toros. En argot taurino se dice «el primero, el segundo, etc. de la tarde», porque las corridas siempre se celebran por la tarde.

(24) *Interviú* es una revista muy leída, de carácter sensacionalista, que combina artículos de temas generales, con información de sucesos concretos y fotos de desnudos femeninos.

(25) El cava es un vino espumoso, parecido al «champagne» francés, que se produce en Cataluña.

Notes

(1) Pepe est le surnom que l'on donne habituellement aux personnes qui s'appellent José de prénom.

(2) Contrairement à ce qui se passe dans d'autres cultures, en Espagne, tout comme en France, on offre habituellement une cigarette aux personnes avec lesquelles on se trouve, avant d'en prendre une soi-même.

(3) «Estar metido en un lío»: avoir des problèmes difficiles à résoudre.

(4) Chaque ville ou village a, en Espagne, un Saint Patron considéré comme le protecteur du lieu. Généralement on organise des célébrations le jour de la fête du saint patron de la ville ou du village: c'est pour les habitants la «grande fête» locale. La fête de Madrid est le 15 mai, le jour de San Isidro (Saint Isidore), patron de la ville. A l'occasion on organise une semaine d'activités culturelles et de divertissements de toute sorte: concerts, bals populaires, représentations théâtrales, compétitions sportives, etc...

(5) L'État Espagnol est subdivisé en «Comunidades Autónomas» (Communautés Autonomes), qui ont, chacune, un parlement et un gouvernement local qui décident, indépendamment du gouvernement central, sur certaines questions. Barcelone est la capitale de la Communauté Autonome de Catalogne, où l'on parle, outre l'espagnol, le catalan. Grande ville portuaire et industrielle, Barcelone est, après Madrid, capitale de l'Espagne, la deuxième ville plus importante de la péninsule.

(6) Construite par Philippe III (Felipe III) vers 1617, la Plaza Mayor représente peut-être le cadre principal où ont eu lieu les grands évènements publics de Madrid. C'est une grande place rectangulaire entourée de porches, dominée au centre par une statue de Philippe III, dont les deux batiments plus caractéristiques sont la Casa de la Panadería (litt. Bâtiment de la Boulangerie), et la Casa de la Carnicería (litt. Bâtiment de la Boucherie).

On appelle Madrid des Habsbourgs (Madrid de los Austrias) une vaste zone avec de nombreux palais et monuments — dont la plaza Mayor, plaza de la Villa (litt. place de la Ville), Ermita de San Antonio de la Florida (ermitage de Saint Antoine de la Floride), etc... — construite sous le règne de la dynastie des Habsbourgs («los Austrias»): Charles V (Charles Ier d'Espagne), Philippe II, etc... (XVIIème et XVIIIème siècles).

Las Vistillas est une petite esplanade proche du Palais Royal, d'où l'on peut contempler le fleuve Manzanares, et, un peu plus loin, la campagne environnante. Sur cette esplanade ont lieu de nombreuses fêtes populaires: les «verbenas».

La Casa de Campo est le plus grand des parcs municipaux de Madrid. Il renferme, entre autres, le jardin zoologique, un grand parc d'attractions, et un lac où l'on peut faire des promenades en barque.

El Parque del Retiro est un autre des grands parcs de Madrid, situé en plein centre de la ville. Il comprend plusieurs musées (tels le Palacio de Cristal — Palais de verre — et le Palacio de Velázquez), et des espaces consacrés à la musique et à la pratique de sports.

(7) «Chulos y chulapas» sont deux mots qui se réfèrent ici aux personnes qui portent, pendant les fêtes, des costumes typiques de Madrid. A l'origine, «chulapo/a» désigne les jeunes hommes et les jeunes filles, qui, conscients de leur beauté, utilisent un langage effronté et amusant.

(8) «El barquillero» est un homme, vêtu de chulapo, qui vend, dans les rues, des «barquillos», sortes de cornets de gaufrette croustillante. Les «barquillos» sont dans une boîte en métal en forme de cylindre, qui a, sur le couvercle, une roulette avec laquelle on tire au sort le nombre de «barquillos» auxquels on aura droit pour la somme d'argent payée.

(9) Situé sur le Paseo de Recoletos, le café Gijón est un fameux café où se retrouvent les intellectuels, célèbre pour les «tertulias» (rencontres — débats où l'on échange des opinions) qui s'y organisent depuis le début du siècle, auxquelles participaient alors d'importantes personnalités de l'époque.

(10) La plupart des immeubles des villes espagnoles ont un «portero» ou une «portera» (concierge), qui habite, généralement dans l'immeuble même. Les concierges sont chargés de la surveillance, du nettoyage, et de résoudre les petits problèmes pratiques que rencontrent les habitants de l'immeuble. Cependant, les immeubles plus modernes ont, quelquefois, un «conserje», qui a les mêmes fonctions que le «portero», mais n'habite pas l'immeuble.

(11) «Telediario»: journal télévisé.

(12) Le football est le sport préféré des espagnols, surtout des hommes: il est difficile d'en trouver un qui ne soit «supporter» d'aucune équipe en particulier qu'il defend en tout et pour tout.

(13) Il est habituel dans le monde des délinquants, mais aussi chez les jeunes des classes populaires, de s'appeler par des surnoms (sobriquets) qui remplacent les vrais noms ou prénoms.

(14) La calle de la Sal se trouve tout près de la Plaza Mayor, à Madrid.

(15) Joan Manuel Serrat est un auteur-compositeur-interprète très connu, qui chante aussi bien en espagnol qu'en catalan. Outre ses propres chansons, Joan Manuel Serrat a mis en musique de nombreux poèmes de célèbres auteurs espagnols, tels Antonio Machado et Miguel Hernández, ou hispanoaméricains, tel Mario Benedetti.

(16) «No dejar en paz» (littéralement: ne pas laisser en paix), dans ce contexte: poursuivre/insister jusqu'à obtenir ce que l'on veut.

(17) La charge de Director General (litt. directeur général) est l'une des plus importantes après celle de Ministre (le plus haut responsable de chaque ministère, membre du gouvernement). Étant donné que les Directores Generales ont des responsabilités politiques, ces postes sont

généralement attribuées à des personnes nommées directement par le gouvernement, plutôt qu'à des fonctionnaires de carrière.

(18) «Concha» est le prénom que l'on donne couramment aux personnes qui s'appellent Concepción.

(19) Indépendant et progressiste, *El País* est le jornal qui a le plus grand tirage en Espagne. Il publie chaque semaine une édition internationale, avec les principaux articles de la semaine.

(20) Construite dans les années vingt, la Plaza Monumental de Toros, appelée aussi Plaza de las Ventas est l'arène où se font les corridas (courses de taureaux) à Madrid.

(21) Les courses de taureaux («corridas») des fêtes de San Isidro à Madrid sont considérées parmi les plus importantes de l'année. Il est donc fondamental pour un torero d'arriver a toréer dans ces arènes. Nombreux sont les madrilènes passionés de taureaux, ce qui fait que lors des fêtes de San Isidro la plaza de las Ventas soit toujours pleine.

(22) Les places assises dans les «plazas de toros» se divisent en deux grandes zones: «sol» (soleil) et «sombra» (ombre). A l'intérieur de ces deux zones, on appelle «tendidos» (gradins) les places découvertes.

(23) Dans chaque «corrida» on achève six taureaux. Dans l'argot taurin on parle du «premier, deuxième, etc... de l'après-midi» parce que les «corridas» ont toujours lieu l'après-midi.

(24) *Interviú* est une revue sensationnaliste très lue, qui combine les articles portant sur des sujets d'intérêt général, avec les informations sur des faits concrets et des photos de nus feminins.

(25) Le «cava» est un vin mousseux produit en Catalogne qui ressemble au champagne français.

Cross references

(1) «Pepe» a is diminutive form of José.

(2) It is customary in Spain to offer the pack round when one takes out a cigarette in company.

(3) «Estar metido en un lío» means to be in a tight spot or to have problems.

(4) All Spanish cities, towns and villages have a patron saint, who is supposed to protect them. The «fiesta mayor» is usually celebrated on the saint's day according to a special calendar («santoral»). The patron saint of Madrid is San Isidro (St. Isidore) and the date is May 15. The celebrations last about a week and there are many cultural and leisure activities: concerts, popular dances, theatre, sports, etc.

(5) Barcelona is the capital of Catalonia, an autonomous region where they speak Catalan. Barcelona is an industrial harbour city and is, after Madrid, the capital of Spain, the most important city in the peninsular.

(6) The «Plaza Mayor» or Main Square, built by Philip III in about 1617, was and still is the background to the most important public events in the city. It is a colonnaded square and its two most representative buildings are the «Casa de la Panadería» (The Bakery) and the «Casa de la Carnicería» (The Butcher's). There is a statue of Philip III in the middle.
The Madrid of the Austrias is an important area in Madrid and was built during the reigns of the members of the House of Habsburg (originally from Austria): Charles, I, Philip II, etc. in the 17th and 18th centuries. It is full of palaces and other buildings, such as the Plaza Mayor, the «Plaza de la Villa» (Town Square), the «Ermita de San Antonio de la Florida» (St. Anthony of Florida's Hermitage or Chapel), etc.
«Las Vistillas» (literally a place with a good view) is a small explanade which overlooks the Manzanares river and the countryside to the West of Madrid. It is near the Royal Palace

and many popular dances, called «verbenas», are held here. The «Casa de Campo» is the largest of the city parks. It has various installations, including a zoo and an amusement park as well as a lake where one can rent a rowing dinghy. The Retiro Park is in the centre of Madrid. In it there are various Museums such as the «Palacio de Cristal» (Crystal Palace) and the Palacio Velázquez, as well as areas for sport and music.

(7) «Chulos» and «chulapas» refer to the people who during the Madrid festivities dress up in the city's typical clothing. Originally, «chulapa» or «chulapo» referred to the good-looking young men and women who were aware of their good looks and used an impudent and saucy language.

(8) The «barquillero» is a man, dressed as a «chulapo» who sells «barquillos», a crisp rolled sweet wafer, in the streets. The wafers are in a cylindrical metal box with a rudimentary roulette wheel which is spun to indicate the number of wafers the buyer will get.

(9) The «Café Gijón» is in the Paseo de Recoletos. It is a meeting place for intellectuals. Its «tertulias» or conversations, begun at the beginning of the century are famous. Many famous intellectuals of the period took part.

(10) In almost all apartment blocks there is a «portero» or «portera» who lives in the building itself and is responsible for looking after it, cleaning it and for resolving all the problems of the people living in it. In today's blocks of flats, the «conserje» or man, usually, who has these duties, does not live in the block.

(11) «Telediario» is the name given to the news programmes on Spanish TV.

(12) Football is Spain's favourite sport. It is difficult to find a Spaniard who is not a supporter of a specific team which he defends fanatically.

(13) In the underworld, and also amongst the young of the lower

classes, it is common to use nicknames or aliases instead of one's real name.

(14) The «Calle de la Sal» is near the Plaza Mayor in Madrid.

(15) Joan Manuel Serrat is a famous songwriter/singer who sings in both Castillian and Catalan. He has not only written his own songs but he has also put music to some of the works of the more famous Spanish and Spanish-american poets, such as Antonio Machado and Miguel Hernández in the first case and Mario Benedetti in the second.

(16) «No dejar en paz» means, in this context, to harass until you get what you want.

(17) The post of Director General is one of the most important after Minister, who is the person responsible for each Ministry and a member of the Government. Because the Directors General have political responsibility, they are not usually Civil Servants but are appointed by the Government.

(18) «Concha» is a diminutive form of Concepción.

(19) *El País,* an independent and progressive newspaper, has the highest circulation in Spain. There is a weekly International edition.

(20) The Monumental Bull-Ring, also called the «Plaza de las Ventas» is Madrid's bull-ring and was built in the Twenties.

(21) The bull-fights held during the festivities of San Isidro are famous throughout Spain and it is important for a bull-fighter to fight in this ring. Many people from Madrid are fans of the bullfights and the ring is always full of spectators during the San Isidro fights.

(22) The bullring seats are divided into «sun» and «shade», and the rows in these areas are called «tendidos».

(23) Six bulls are killed in each bull-fight. These are referred to as

the first, the second, etc. of the afternoon as the bull-fights are always held in the afternoon.

(24) *Interviú* is a very popular sensationalist magazine, which has articles of general interest, information about specific events and photographs of nude females.

(25) «Cava» is a sparkling wine, similar to champagne, produced in Catalonia.

Anmerkungen

(1) «Pepe» ist der Rufname von José.

(2) In Spanien ist es üblich, seinem Gesprächspartner Zigaretten anzubieten, wenn man selbst raucht.

(3) «Estar metido en un lío» (in einer Verwirrung stecken) bedeutet: Probleme haben, die schwer zu lösen sind.

(4) Sämtliche spanische Städte und Dörfer haben einen Schutzpatron. Der Tag, an dem dieser Heilige gefeiert wird, ist gewöhnlich das wichtigste Fest des Ortes. Der Schutzpatron von Madrid heißt San Isidro, sein Namenstag liegt auf dem 15. Mai. Die festlichen Aktivitäten zuehren San Isidros dauern eine Woche und bestehen aus allen möglichen Arten von kulturellen Aktivitäten und Unterhaltung: Konzerte, Volkstänze, Theatervorstellungen, sportliche Wettbewerbe und anderes.

(5) Barcelona ist die Hauptstadt von Katalanien, der «Comunidad Autónoma» (teilautonome Region), in der man katalanisch spricht. Barcelona, Hafen- und Industriestadt, ist nach Madrid, der Hauptstadt Spaniens, die wichtigste Stadt der Halbinsel.

(6) Der Plaza Mayor, von Felipe dern III. 1617 erbaut, war und ist bis heute die Szenerie für die wichtigsten öffentlichsten Veranstaltungen der Stadt. Er ist ein mit einem Säulenumgang eingefaßter Platz, dessen zwei repräsentativsten Gebäude das Haus der Bäcker und das Haus der Fleischer sind. In der Mitte des Platzes steht eine Statue Felipes des II.
Das Madrid der Österreicher ist ein wichtiges Viertel in Madrid, während der Regierungszeit der sogenannten Dynastie der Österreicher (Carlos der I. und Felipe der II. usw., 17. und 18. Jhr.) errichtet, voller Paläste und Monumente, darunter der erwähnte Plaza Mayor, der Plaza de Villa, und die Eremitage San Antonios de la Florida usw.
Die «Vistillas» sind ein Aussichtspunkt in der Nähe des Palacio

Real, von dem aus man den Fluß Manzanares betrachten kann und die Felder um Madrid. Es werden dort Volkstänze aufgeführt und Volksfeste veranstaltet.

Der Casa de Campo ist der größte der städtischen Parks. In ihm findet man verschiedene Einrichtungen wie den zoologischen Garten, den Park der Attraktionen usw. Außerdem gibt es dort einen See auf dem man Ruderboot fahren kann.

Der Park de Retiro liegt im Zentrum Madrid. In ihn befinden sich verschiedene Ausstellungsräume wie der Palacio de Velázquez und der Glaspalast und Räumlichkeiten für Sport- und Musikveranstaltungen.

(7) «Chulos y chulapas» meint hier Personen, die bei den Festen in der typischen madrileñer Tracht gekleidet sind. Ursprünglich bedeutete «chulos y chulapas»: hübsche Jungen und Mädchen, die wissen, daß sie es sind und sich einer unverschämten und witzigen Sprache bedienen.

(8) Der «barquillero» ist ein Mann, der, in Tracht gekleidet, auf der Straße barquillos verkauft, süße Waffellen. Die barquillos bewahrt er in einer Metalltrommel auf, in deren Deckel es eine Art Roulett gibt, das über die Anzahl der barquillos entscheidet, für die bezahlt worden ist.

(9) Das Café Gijón liegt auf dem Paseo de Recoletos. In diesem Lokal treffen sich die Intellektuellen. Berühmt sind eine tertulias (Gesprächsrunden), eingeführt zu Beginn dieses Jahrhunderts. An ihnen nehmen wichtige Intellektuelle der Zeit teil.

(10) In fast allen Häusern aller spanischer Städte gibt es einen portero oder eine portera (Pförtner oder Pförtnerin), die im selben Haus wohnen und angestellt sind, um das Haus zu bewachen und zu reinigen und praktische Probleme der Hausbewohner zu lösen. Heute gibt es in den neueren Häusern den conserje, meist ein Mann, der dieselben Aufgaben wie der portero hat, aber nicht im selben Gebäude wohnt.

(11) «Telediario» heißt das Nachrichtenprogramm des Fernsehens.

(12) Fußball ist der beliebteste Sport der Spanier, vor allem der Männer. Es ist nicht einfach einen Spanier zu finden, der nicht Anhänger einer Fußballmannschaft ist, die er bedingungslos verteidigt.

(13) In der Unterwelt und unter den Jugendlichen des Volkes ist es üblich, sich Spitznamen zu geben, die den eigentlichen Namen ersetzen.

(14) Die Calle de la Sal liegt in der Nähe des Plaza Mayor.

(15) Joan Manuel Serrat ist ein berühmter Liedermacher, der auf kastillianisch und katalanisch singt, und der neben seinen eigenen Liedern Gedichte berühmter spanischer Dichter, wie Antonio Machado und Miguel Hernández, und lateinamerikanischer Dichter, wie Mario Benedetti, vertont hat.

(16) «No dejar en paz» (nicht in Frieden lassen) bedeutet in diesem Kontext: etwas verfolgen, bis man erreicht hat, was man will.

(17) Das Amt des «Director General» ist nach dem Ministeramt die wichtigste und verantwortlichte Position jedes Ministeriums. Normaler weise ist der Director General politisch verantwortlich, ist kein Beamter, sondern wird von der Regierung ernannt.

(18) «Concha» ist ein Rufname des Namens «Conception».

(19) *El País,* unabhängig und fortschrittlich orientiert, ist die Zeitung Spaniens mit der höchsten Auflage. Sie hat auch eine wöchentlich erscheinende internationale Ausgabe.

(20) La Plaza de Toros «Monumental», auch «Plaza de Las Ventas» genannt, ist die Stierkampfarena Madrids und wurde in den zwanziger Jahren erbaut.

(21) Die Stierkämpfe während der Festlichkeiten um San Isidro sind in Spanien sehr berühmt, und für einen Stierkämpfer bedeutet es viel, soweit zu kommen, daß er dort auftreten kann. Viele Madrider begeistern sich für diese Stierkämpfe während San Isidro, und die Arena ist stets voller Publikum.

(22) Die Sitzplätze der Stierkampfarena sind unterteilt in Sonnen- und Schattenplätze, innerhalb dieser Zonnen nennen sich die überdachten Galerien «tendido».

(23) Während jeder corrida werden sechs Stiere getätet. Sie werden im Fachjargon der Reihenfolge nach mit «der erste, der zweite Stier des Nachmittags» usw. angekündigt, weil die Stierkämpfe stets am Spätnachmittag stattfinden.

(24) *Interviú* ist eine vielgelesene Sensationszeitschrift, die Artikel allgemeiner Themen mit Informationen über konkrete Vorfälle und Bildern nackter Frauen verbindet.

(25) «El cava» ist ein dem französischen Champaner ähnlicher Schaumwein, der in Katalanien produziert wird.